bibliothèque petits lapins

les animaux familiers

Avec la collaboration éditoriale d'Evelyne Mathiaud

ILLUSTRATIONS DE JEAN-MARC PARISELLE

nathan

© Éditions Fernand Nathan, Paris, 1983

La plupart des animaux présentés
dans cet album : le cheval,
l'écureuil, la tortue,
le cochon d'Inde, etc.
te sont familiers.
Regarde bien les images
et amuse-toi à reconnaître
chaque animal en citant son nom.
Tu découvriras,
en plus, des détails intéressants...
Sais-tu que la mésange
se suspend souvent
la tête en bas ?
Que la taupe creuse
des tunnels sous terre ?
Que le cochon aime
se coucher dans la boue ?...

Le cheval
a une jolie crinière.
Il peut courir très vite
en galopant.

La coccinelle
a des points noirs
sur le dos.
Elle se cache
sous les feuilles.

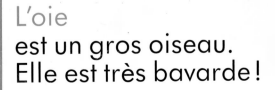

L'oie
est un gros oiseau.
Elle est très bavarde !

Le chat est agile
et souple.
Il peut faire
de grands bonds.

La mésange
est un petit oiseau.
Elle se suspend
souvent
la tête en bas !

Le cochon
est rond et rose.
Il mange de tout.
Il aime se coucher
dans la boue.

L'écureuil
a un pelage roux
et une queue
en panache. Il vit
surtout dans les forêts.

La chèvre
a deux cornes
et une barbichette.
Elle aime sauter
et grimper.

La poule vit
dans la basse-cour
avec ses poussins.
Elle pond des œufs.

L'âne est plus petit
que le cheval.
Il a de longues oreilles
Sa robe est grise.

La taupe
a de très petits yeux.
Elle creuse
de longs tunnels
sous terre.

Le hamster
a une fourrure
très douce.
Il fait des provisions
de graines.

La tortue
porte une carapace.
Elle se déplace
lentement.

Le papillon
a des ailes colorées.
Il butine les fleurs.

Le corbeau
est un oiseau tout noir.
Il est très bruyant !

Le lapin habite
dans un terrier.
Il dresse souvent
ses longues oreilles.

Le hérisson
est couvert de piquants.
Il se met en boule
quand il a peur.

La perruche
a un plumage coloré.
Comme le perroquet,
elle peut apprendre
à parler !

Le veau est le petit
de la vache.
Il adore gambader
dans les prés !

Le chien

est un compagnon
fidèle.
Il garde la maison.

Le dindon

a une tête toute rouge.
Il fait parfois la roue !

La grenouille
vit au bord de l'eau.
Elle saute
et nage très bien.

La souris des champs
est grise.
Mais il y a aussi
des souris blanches.

Le canard
a un bec jaune
et des ailes colorées.
C'est un excellent
nageur.

Le mouton
est couvert de laine.
Il broute l'herbe
de la prairie.

Le pigeon
vit à la campagne
ou dans les villes.
Son vol est très rapide.

Le cochon d'Inde
a un pelage blanc,
tout doux, taché
de noir ou de roux.